U0129393

夢幻
Illusions

青峰 詩選

A collection of poetry
Un recueil de poésie

Albert Young

目錄
Contents
Table des matières

序
Prefaces
Préfaces

悲天憫人的激情詩人

這是我讀完"瞬間","感動"和"夢幻"等詩集作品之後對青峰的印象。

這位被千年中國文化以及法國民主孕育出來的詩人,走遍世界的企業精英,除了擁有大型公司管理經驗之外,亦瞭解到人類是由男人,女人以及不同種族,思想,能力和性格所組成的。

這位詩人從生活和工作中體會到,生命是充滿感動和夢幻的一個個瞬間。

我其實對青峰瞭解不多,我們僅有過數面之緣。但我對其父,兼具外交睿智和慈悲為懷的著名詩人以及世界詩人大會會長楊允達先生則比較熟悉。

青峰不是以一般職業詩人的手法來處理詩篇,而是以熱愛,也就是說以愛和激情來創作。他受到的多種語言教育,讓他在浩瀚的語言大海裡如魚得水。

語言雖集感動與夢幻於一身,但仍源於字句。青峰熱愛寫作:

> 寫作是創造生命
> 為字句賦予生命
>
> 有時自然流暢
> 有時苦苦挖掘
> 寫出之後
> 它們展開獨立生涯

紙上寫下的字句被詩人賦予生命，讓其體驗及敘述人生或周遭世界的故事：

> 多年後
> 再見到它們時
> 有的熟悉、有的古怪
> 有的喜歡、有的討厭
>
> 但它們都在呼喚我
> 都渴望我的愛
> 因為它們就是我
>
> 我的生命

忠於中國古老傳統藝術，尤其是詩歌，青峰在他的作品中敏銳的同時運用具象細節以及抽象字句。他知道如何將生命中的感動以及夢幻瞬間轉化為一些簡單易懂，悲天憫人的小故事。

當他在與埃菲爾鐵塔或是被大火吞噬的巴黎聖母院對話時，詩裡流露出的是傷感，但是在嘲諷近十年流行風潮時，字裡行間露出的卻是風趣幽默：

> 不管到何處
> 都要自拍一下
> 沒有什麼
> 比自我展示
> 更為重要

青峰充滿人性的作品接近並觸動著所有讀者的心。它不能喂飽我們，但卻是能振奮我們沮喪心靈和撫摸受傷靈魂的活水。

米蘭-立克特　博士
思洛瓦科筆會主席
於布拉提斯拉瓦

Passionate poet, endowed with empathy for everything human

This is how I would characterize Albert Young for myself after having read his books of poetry "Moments", "Emotions" and the manuscript of this book, "Illusions".

A Taiwanese Chinese bred by thousand years of Chinese tradition and by French democracy. An intellectual who, as a manager, understands the functioning of large industrial corporations in the US, Asia, and Europe, and who knows very well that mankind is made up of individual men and women, of diversity of races, beliefs, abilities and characters. A poet who has learned in his different leading positions that we, people, live the "moments" of our lives immersed in "emotions" and captured by "illusions".

As a person I know Albert very little – we met briefly only three or four times. On the other hand, I know his father Maurus Young very well, a poet and a former journalist, now the President of the World Congress of Poets, a man with diplomatic tact and powerful empathy. In like manner his son, Albert, treats poetry not as a professional, but as a true amateur, that means "loving", with love and passion. He received education and training in three languages in which he really feels at home. Languages are both "emotions" and "illusions", but above all *words*. And Albert appreciates them immensely:

> Writing is giving life
> Giving life to words
>
> Sometimes they just flow
> Sometimes I must dig deep
> But, all, I carefully lay down
> And let them grow on their own

Words that the poet lays on paper and lets them live, experience and tell stories about man and about the world:

> When I see them again
> Years later
> Some look familiar, some odd
> Some I like, some I do not
>
> But they all call for me
> Crave for my love
> Because they are all from me
>
> They are my life

True to China's ancient tradition in art and especially poetry, Albert works equally sensitively with details as he does with abstract terms. He knows how to turn emotional moments of life and illusions that we continually struggle with, into tiny stories, memories spoken simply and with great empathy. His verses include the proper pathos when he talks to the Eiffel Tower or Notre-Dame after a devastating fire, but also the gentle humor when making fun of the "fashion" of the past decade:

> Wherever I go
> I only take selfies
> Because nothing is more important
> Than showcasing myself

Albert Young's poetry approaches every reader with its humanity. It is not food to feed us, but living water that refreshes our dejected spirit and caresses the hurt soul.

Dr. Milan Richter
President, PEN Club of Slovakia
Bratislava

Poète passionné, plein d'empathie pour tout ce qui est humain

C'est ainsi que je me définirais Albert Young, après avoir lu ses collections de poésie, « Moments », « Emotions » et le manuscrit de cette collection « Illusions ».

Un Chinois de Taiwan, nourri par des millénaires de tradition chinoise et qui a été élevé par la démocratie française. Mais aussi un intellectuel qui, en tant que cadre dirigeant, comprend le fonctionnement des grandes sociétés industrielles des Etats-Unis, de l'Asie et de l'Europe, et qui sait très bien que l'humanité est composée d'hommes et de femmes, d'individus de diverses races, croyances, aptitudes et caractères. Un poète, qui à travers ses différentes positions de dirigeant, a appris que nous, les hommes, vivons des « moments » de notre vie, plongés dans des « émotions » et sous l'emprise d'« illusions ».

Je ne connais Albert que très peu en tant que personne – nous nous sommes rencontrés brièvement 3 ou 4 fois. Mais je connais très bien son père, Dr. Maurus Young, poète, ancien journaliste et maintenant le Président du Congrès Mondial des Poètes, un homme plein de tact diplomatique et empreint d'une grande empathie. De même son fils, Albert, travaille la poésie non en tant que professionnel, mais en véritable amateur, c'est-à-dire quelqu'un qui « aime », avec amour et passion. Il a été éduqué dans 3 langues dans lesquelles il se sent parfaitement à l'aise. Des langues qui sont à la fois « émotions » et « illusions », mais aussi avant tout des *mots.* Et Albert les apprécie énormément :

> Ecrire c'est donner vie
> Donner vie aux mots
>
> Parfois ils coulent de source
> Parfois je les cherche au plus profond de moi
> Mais, tous, je les écris soigneusement
> Puis les laisse grandir à leur guise

Des mots que le poète couche sur papier puis les laisse vivre, pour qu'ils fassent l'expérience de la vie puis en puissent raconter l'histoire :

> Puis quand je les revois
> Des années plus tard
> Certains sont familiers, d'autres étranges
> J'aime les uns, les autres pas
>
> Mais tous m'appellent
> Tous me demandent mon amour
> Car ils sont tous de moi
>
> Ils sont ma vie

Fidèle à la tradition ancestrale de la Chine dans les arts et surtout dans la poésie, Albert travaille avec grande sensibilité aussi bien les détails concrets que les termes abstraits. Des moments de la vie et des illusions avec lesquelles nous nous débattons constamment, il sait en faire de petites histoires, des morceaux de souvenir racontés avec simplicité et grande empathie. Ses vers deviennent pathétiques, quand il le faut, lorsqu'il parle à la Tour Eiffel, ou, après l'incendie dévastateur, à Notre Dame, mais savent aussi prendre une tournure gentiment humoristique quand il se moque de la « mode » de cette dernière décennie :

> Partout où je vais
> Je ne prends que des selfies
> Car rien n'est plus important
> Que de me mettre en valeur

La poésie d'Albert Young approche chaque lecteur avec son humanité. On ne peut pas s'en nourrir, mais c'est une eau vivante qui rafraîchît nos esprits déchus et nos âmes meurtries.

Dr. Milan Richter
Président, PEN Club de la Slovaquie
Bratislava

青峰以及拯救世界的夢幻

人類思想擁有兩種本能：以科技模擬世界獲取利益，用夢幻美化世界得到快樂。

而引領我們進入夢幻道路的詩歌創作明顯屬於後者： *當詩歌向世界宣言時 / 會沸騰和吶喊 / 它同時創造生命 / 為字句賦予生命。*

就像青峰在他的前言中所提到的一樣： *詩歌將我們帶入另一個世界，一個令人著迷的美好夢幻世界。*

青峰就是一位能將字句與動詞變為夢幻世界的魔法師。一處溶洞就能讓他 *探索 / 生命的秘密。* 在中國綏陽的天梯能讓他嚐到 *上天的淚水。*

在一本老舊發黃的家庭相簿裡，他 *試著用回憶 / 替他們 / 添加綫條 / 補上色彩。* 在青峰筆下，回到老家的年邁老人 *看到了過去的足跡 / 聽到了故人的笑聲。*

即使被無情大火吞噬化為灰燼的巴黎聖母院 *也將在（他）心中 / 永遠矗立！*

詩歌的創作能將現實生活美化，就像描寫冬天的風景一樣 *萬物獲得喘息 / 一片潔白世界。*

身為生於臺灣的中國人，在法國名校接受教育的法國人，及美國康奈爾大學電腦專業的美國人，青峰無疑是位世界公民和旅行家，更是多種文化的結合縮影。他呈現的中，英，法或德等多語種詩篇，就是最好的證明。

與多年足不出戶的日本蟄居族恰恰相反，這位詩人擁抱世界，將其美化，並使其重生。在他的眼裡， *那些歡樂及悲傷 / 期待與遺憾 / 愛情和*

怨恨 不但沒有隨著墓碑消失，反而透過夢幻般的文字而得到昇華，變得更加耀眼。

拜青峰所賜，鳳蝶們回來了，*而回憶則成為 ／ 一朵一朵 ／ 最精彩的故事。*

幾個簡單的音符能使我們 *融入 ／ 永恆的旋律 ／ 慢慢 ／ 消失了* 就像"等待"那首詩中，女孩耐心等待心愛男孩一樣，在讀完青峰的詩集後，在心中留下了 *酸酸的回憶，* 然後 *把時光 ／ 好好封存起來。* 就像作者一樣，讓我們 *輕輕關上 ／ 背後的門 ／ 滿懷期待 ／ 等著開啟 ／ 下一扇門。*

然後在未知的現實裡，突然出現一個火炬，像 *轟立在霧中熠熠發光* 的巨大埃菲爾鐵塔一樣在引導著我們。

希望你們會喜歡青峰的詩歌！

夏普貼　博士
法國國家科學研究院主任
世界詩人大會理事
法國，巴黎

Albert Young and the salutary illusion

The human mind has two main capabilities: one is to simulate the world through science so as to extract profit, the other is to disguise the world through imagination to derive pleasure.

Poetry and the illusions that it creates and which take us upon a journey into dreams belong to this second category, the one of the artistic creations. This creation of poetry, which is *sometimes a declaration / Passionate and resounding*, is the only one which is *giving life / Giving life to words*. As Albert says it in his foreword, poetry is an invitation to *another world, a world of amazement, a world of enchanting illusions*.

An illusionist with words, a magician with verbs, Albert has become a master to issue such kind of invitations.

An underground cave allows him *to explore / The mystery of life*. In Suiyang, China, he looks *up the stairs / They seem endless* which allow him to witness *The tears from Heaven*. From an album of pictures that have faded throughout the years, *Lines and colors / Come out from (his) memories / To enhance each of them*.

Under Albert's pen, as the old man gets back to his native village, he can relive his childhood, *See the footprints / And hear the laughter*. And even if a devastating fire were to turn it into ashes, the Notre-Dame cathedral in Paris *will still be in (his) heart / Forever towering!* Through poetry, the reality is transcended and beautified. In poetry, like in a winter landscape, *Life is getting a pause / The world has become so pure and white*.

Chinese from Taiwan, French through his education in some of the best schools in France (Lycée Louis-le-Grand, Ecole Centrale de Lyon), somewhat American thanks to his studies in Computer Sciences at the Cornell University in the USA, but most of all, citizen of the world and great traveler, Albert embodies what the civilization today has best to offer: cultural crossbreeding.

The different languages he uses in his poems – Chinese, English, French, and sometimes German – bears good testimony.

The poet is the total opposite to the *Hikikomori* from Japan, those thousands of people who have not stepped out of their homes for years. The poet is, on the contrary, constantly open to the world, which he transforms, beautifies and lets us relive.

Thanks to him, *All the joy and pain / The longing and regrets / Love and hatred* do not disappear among the tombstones. They take on, through the illusion of words, a new life, more beautiful and much brighter.

Thanks to Albert, for us, *the swallowtails are back*. Thanks to him as well, memories *blossom / Into the most beautiful of stories*. A few notes of music and we are *melting / Into an everlasting melody / And slowly / Disappearing*.

Like the modest young girl in one of the poems, who knows how to find her partner through patient waiting, once we have enjoyed Albert's works, let us retain deep in our hearts, the full memory, so that we keep, from this subtle walk through the words, *A bittersweet feeling. For time / To be forever retained*. So that, like the author, we *close up / The doors behind (us) / (And) cannot wait / To open up / Those in front of (us)*.

So that, amidst this great existential mystery of the reality that surrounds us, rises before us, such as a gigantic imaginary candle and signpost, an Eiffel Tower of our dreams, *amidst the fog, from afar (...) / Colossal and gleaming*.

Happy reading!

Dr. Georges Chapouthier (biologist)
Research Director
French National Research Center

Also known as Georges Friedenkraft (poet)
Board Member
World Congress of Poets

Paris, France

Albert Young et l'illusion salvatrice

L'esprit humain possède deux aptitudes fondamentales : celle de simuler le monde par la science pour en tirer profit, celle de déguiser le monde par l'imaginaire pour en tirer plaisir.

C'est à ce second mouvement, celui de la création artistique, que se rattache évidemment l'activité poétique et sa production d'illusions qui nous entraîne sur les sentiers du rêve. Cette activité poétique qui *est parfois une proclamation / Passionnée et retentissante* est seule capable *de donner vie / Donner vie aux mots.* Comme le formule Albert Young dans son avant-propos, la poésie est *une invitation dans un autre monde, un monde d'émerveillement, un monde d'illusions enchanteresses.*

Illusionniste des mots, magicien du verbe, Albert Young est passé maître à formuler une telle invitation.

Une grotte souterraine lui permet d'*explorer / Le mystère de la vie.* A Suiyang, en Chine, *cet escalier sans fin* lui permet de goûter *Les larmes du Ciel.* De l'album terni des photos de famille, nous confie-t-il, *Des lignes et des couleurs / Jaillissent de ma mémoire / Pour venir les compléter / Et les embellir.*

Sous la plume d'Albert Young, de retour au village natal, le vieil homme peut faire revivre son enfance, *Voir la trace de ses pas / Entendre l'écho de ses rires.* Et même si un incendie meurtrier devait la réduire en cendres, la cathédrale de Notre-Dame à Paris restera *dans mon cœur / Pour toujours / Entière et debout !* Par l'écriture poétique, la réalité se transcende et s'embellit. Dans l'écriture poétique, comme dans un paysage d'hiver, *La vie fait une pause / Le monde devient d'une pure blancheur.*

Chinois par ses origines taïwanaises, français par son éducation dans certaines des plus prestigieuses institutions de la république (Lycée Louis-le-Grand, Ecole Centrale de Lyon), un peu américain grâce à ses études d'informatique à l'université Cornell, mais surtout citoyen du monde et grand voyageur, Albert Young condense en lui ce que la civilisation d'aujourd'hui peut produire de mieux : le métissage culturel. La présentation multilingue de ses poèmes – en chinois, anglais, français, parfois allemand – est bien là pour en témoigner.

Le poète est à l'opposé des *Hikikomori* du Japon, ces milliers de personnes qui n'ont guère quitté leur domicile depuis des années. Le poète est, au contraire, ouverture permanente sur le monde qu'il transforme, embellit et fait revivre.

Grâce à lui, *Toutes ces joies et ces peines / Les désirs et les regrets / L'amour et la haine* ne disparaissent pas parmi les pierres tombales. Ils prennent, dans l'illusion du verbe, un nouvel essor, plus beau et plus lumineux.

Grâce à Albert Young, pour nous, *Les papillons machaons sont de retour.* Grâce à lui aussi, les souvenirs *fleurissent / Et deviennent /Les plus belles des histoires.* Quelques notes de musique et on se *sent fondre /Dans une mélodie sans fin / Et tout doucement / Disparaître.*

Comme la jeune fille si modeste d'un des poèmes, qui sait trouver son partenaire par une patiente attente, après avoir goûté l'ouvrage d'Albert Young, gardons-en, au fond de notre cœur, toute la mémoire, pour qu'il nous reste, de cette subtile promenade dans les mots, *un goût /Si doux-amer. Pour que,* grâce à elle, *le temps / Soit à jamais préservé.* Pour que, comme l'auteur, après avoir refermé *les portes / Derrière moi / Je piétine d'impatience / Pour ouvrir celles / Devant moi.*

Pour que, au sein de la grande inconnue existentielle de la réalité qui nous entoure, surgisse devant nous, comme un grand cierge imaginaire et comme un guide, une tour Eiffel de rêve *dans le brouillard, au loin (...) Gigantesque / Brillant de mille feux.*

Bonne lecture !

Georges Chapouthier (biologiste)
Directeur de Recherches
CNRS

dit Georges Friedenkraft (poète)
Membre du Comité Exécutif
Congrès Mondial des Poètes

Paris, France

前言
Foreword
Avant-propos

前言

我知道我們活在一個夢幻的世界，但真正瞭解到它的廣泛涵義，是當我開始寫"夢幻世界"這篇詩歌的時候。

剛開始我只是想要進入今天年輕人的世界，試著瞭解他們為何需要在社交網路不斷展示自我，為何急著回覆剛進來的短信，為何不能一分鐘沒有自己的手機。

但後來發現，當我想將照片分享給朋友時，會選擇一張最好的，在把照片寄出後，我還蠻期待別人對我的點贊；在寫關於自己近況時，我會盡量寫好消息；而當回憶往事的時候，我也時常會將其美化成自己想要的樣子。簡而言之，我和我試著瞭解的年輕人並無不同，也是個欺騙自我的人。

更總體來說，我所瞭解到的世界，都是媒體想讓我看到的。而上網查詢的資料，也是經過搜尋引擎黑箱操作過濾後的結果。我不斷的被整天監視著自己的智慧手機背叛，將我的個人訊息轉賣給想要說服我消費更多的企業。各行各業利用無數的網紅在試著左右我的喜好。

對於像《氣候暖化是真的嗎？》這麼重要的一個問題，我竟然找不到答案。世界上重大議題已經被巨大利益集團模糊化。更不必說，我每天被來自企業，政治家和政府的謊言不斷轟炸（從吸煙到吸電子煙；從汽車引擎排放到農藥；從次級貸款到負利率政策），我完全置身於一個夢幻世界。

但是，反而言之，試著展示最美的照片，著重於發送好消息，美化我們的回憶，這難道都不好嗎？

還記得小時候第一次看到在我面前表演的魔術師，他將我帶入一個令人著迷的美好夢幻世界。對我來說，小時候最大的謊言就是聖誕老人。如同大家一樣，當我發現真相時，我對父母既失望又氣憤；但是我也和大家一樣，很喜歡跟小朋友講聖誕老人故事來哄騙他們。

從多方面來說，人們需要夢幻，它能讓我們忍受殘酷的現實。我們告訴自己明天會更好，好讓我們繼續走下去。我們拭去痛苦的記憶，暗中舔舐傷口。我們忘記脆弱，膽小和普通的自己，將自己想像成強大，勇敢和超凡的人，這樣在跌倒時我們才能再站得起來。

這就是為什麼我將這第四本詩集取名為"夢幻"。因為這就是我們生活的世界，因為它們支撐我們活下去。在這本詩集裏我試著捕捉事物，人們和地方的動人瞬間，繼續忠於我喜歡的詩歌形式：簡單，真實和感動。

歡迎來到"夢幻"世界。

青峰
於瑞士，優納
albert.young.poetry@gmail.com

Foreword

We live in a world of illusions.

I knew this, but I only understood it to its fullest extent when I was writing the poem "Illusions" in this collection.

Initially I wanted to put myself into the shoes of a typical youngster in our world today and understand the need to show oneself off on the social networks, the urge to respond immediately to incoming messages, the inability to live without one's smartphone.

But then, I realized that when I occasionally share a picture with friends, I would also choose a better one among a lot of other less smart looking ones; that when I send this nice picture out, I am also actually waiting for positive feedback or comments ("likes"); that when I write news about myself, I would also focus more on the good news rather than on the bad ones; that when I try to recall distant events in the past, I often find myself narrating them in a way how things should be, rather than how they actually were. In a nutshell, I am not very different from the youngster I am trying to understand and I am also the first one to delude myself.

More generally, how I see the world is shaped by the media who choose to show only certain facets. How I understand things are determined by online search engines that filter and rank results through a black box. I am constantly betrayed by my smartphone who is spying on me and selling data to companies that want to market more goods to me. Influencers of all kinds are getting paid to direct my preferences and tastes.

I get no answer to an important question like "Is climate change real?". Essential issues are blurred by parties with gigantic vested interests. Not to mention that I am deliberately and routinely lied to by corporations, politicians and governments (from smoking to vaping, from car engine emissions to pesticides, from sub-primes to negative interest rates). I am totally surrounded by illusions

But is this all that bad? Is it really bad to show the best pictures? To focus on the good news? To narrate memories in an embellished way?

I remember, as a child, how bewildered I was, when I saw for the first time a magic trick performed in front of me. It invited me into another world, a world of amazement, a world of enchanting illusions. The biggest lie we were told when we were children was Santa Claus. I was disappointed and angry with my parents when I found out the truth, but like all of us, when I grew up, I cannot resist the pleasure of telling this fairy tale and big lie, and see how the kids enjoy it.

In many ways, we need illusions. They help us to cope with the harsh reality. We tell ourselves tomorrow will be better, so that we can keep moving on. We secretly heal our wounds by fading out the painful memories. We forget we are just weak, afraid and ordinary, because we imagine a stronger, more courageous, and extraordinary version of ourselves, so that we can stand up when we fall.

This is why I have titled this 4th collection of poetry "Illusions". Because, this is the world we live in, because they help us live in this world. Again, I have tried to capture snapshots from things, people, and places that have touched me, and again, I remain faithful to what I like in poetry: simplicity, authenticity and emotion.

Welcome to the world of "Illusions".

Albert Young
Jona, Switzerland
albert.young.poetry@gmail.com

Avant-propos

Nous vivons dans un monde d'illusions.

Je le savais, mais n'avais pas saisi toute l'étendue de ce fait jusqu'à ce que je me mette à écrire le poème « Illusions » pour ce recueil.

Initialement, je voulais me mettre dans la peau d'un jeune de nos jours et comprendre le besoin de sans cesse se mettre en valeur sur les réseaux sociaux, de répondre immédiatement à un message entrant, et cette incapacité à vivre sans son smartphone.

Puis, je commençais à réaliser que, quand il m'arrivait d'envoyer une photo à des amis, je choisissais aussi la meilleure parmi tant d'autres plus ou moins ratées ; que, quand je l'envoyais, j'étais aussi dans l'attente d'un retour ou de commentaires élogieux (« likes ») ; que, quand je donnais de mes nouvelles, je mettais l'accent sur les bonnes plutôt que les mauvaises ; que, quand j'essaie de me remémorer des événements lointains, je me surprends à raconter comment les choses auraient dû se passer plutôt que comment les choses se sont réellement passées. Bref, que je ne suis guère différent du jeune que j'essaie de comprendre, et que je suis souvent le premier à me mentir à moi-même.

Plus généralement, la façon dont je vois le monde est régie par les médias qui choisissent de ne montrer que certains côtés des choses. La manière dont j'appréhende les faits est déterminée par des moteurs de recherche en ligne qui filtrent et classent les résultats à travers une boîte noire. Je suis constamment trahi par mon smartphone qui m'espionne et vend mes données à des sociétés qui cherchent à me faire acheter plus de produits. Les influenceurs de toutes sortes sont payés pour contrôler mes préférences et mes goûts.

Je n'obtiens pas de réponse à l'importante question « Est-ce qu'il y a un changement de climat ? ». Tous les problèmes essentiels de notre société sont occultés par des parties prenantes qui ont de gigantesques intérêts en jeu. Sans dire que les corporations, les politiciens et les gouvernements délibérément et régulièrement me mènent en bateau (hier sur les cigarettes, aujourd'hui sur les e-cigarettes ; hier sur les émissions des moteurs, aujourd'hui sur les pesticides ; hier sur la crise des sub-primes, aujourd'hui sur les taux d'intérêts négatifs). Je suis totalement submergé par les illusions.

Mais tout cela est-il au fond si mauvais ? Est-il si mauvais de ne montrer que les belles photos ? De ne s'attarder que sur les bonnes nouvelles ? De raconter les histoires en les embellissant ?

Je me rappelle quand j'étais enfant et que j'ai vu pour la première fois un tour de magie fait devant mes yeux. C'était une invitation dans un autre monde, un monde d'émerveillement, un monde d'illusions enchanteresses. Le plus grand mensonge de tous les temps que l'on nous a tous raconté est l'histoire du Père Noël. Comme nous tous, j'étais déçu et en colère quand j'ai découvert le pot aux roses, mais je suis le premier à ne pouvoir résister au plaisir de colporter ce grand mensonge et conte de fées et voir la joie des enfants à l'entendre.

De maintes manières, nous avons besoin d'illusions. Elles nous aident à surmonter la dure réalité de ce monde. Nous nous disons que demain sera meilleur pour que nous puissions continuer à vivre. Nous soignons nos plaies en secret en effaçant les souvenirs les plus douloureux. Nous oublions que nous sommes faibles, effrayés et bien ordinaires, parce que nous voulons imaginer une autre version de nous-mêmes, plus forte, plus courageuse et plus extraordinaire, pour que nous puissions nous relever quand nous sommes à terre.

C'est pourquoi j'ai intitulé ce 4ème recueil de poésie « Illusions ». Car c'est le monde dans lequel nous vivons et c'est grâce à elles que nous survivons. Comme dans les recueils précédents, j'ai essayé de capturer des instantanés sur les choses, les personnes et les endroits qui m'ont touché, et comme à l'accoutumée je suis resté fidèle à ce que j'aime en poésie : la simplicité, l'authenticité et l'émotion.

Bienvenue dans le monde des « Illusions ».

Albert Young
Jona, Suisse
albert.young.poetry@gmail.com

夢幻世界
Illusions
Illusions

夢幻世界

不管到何處
都要自拍一下
沒有什麼
比自我展示
更為重要

修飾好照片
要儘快上傳
追逐「點讚」
不能落後於人

到處發送短信
就為吸引注意

只要收到來訊
都要搶先答覆

手機是我一切
吃飯時看著它
睡覺時緊握它

如果你問我
生活在什麼世界
我會告訴你
這就是我們的世界

一個夢幻世界

Illusions

Wherever I go
I only take selfies
Because nothing is more important
Than showcasing myself

I make sure to enhance them
And to post them as fast as I can
Because in the race for "likes"
One cannot be behind

I constantly write messages
And send them to people I barely know
Because I have to be
Their "top-of-mind"

Whenever a message rings
I rush to respond
Because I want to be
The first to reply

My phone is everything
I eat by keeping an eye on it
I sleep by holding tight onto it

If you ask me
What kind of world I am living in
Then let me tell you
This is our world

A world of illusions

Illusions

Partout où je vais
Je ne prends que des selfies
Car rien n'est plus important
Que de me mettre en valeur

Je m'assure de les embellir
Pour les poster tout de suite
Car dans la course aux « likes »
Ça ne rigole pas

J'écris constamment des textos
Et les envoie à gogo
Car pour attirer l'attention
Tous les coups sont permis

Quand un message arrive
Peu importe son sujet
Je me précipite pour être
Le premier à répondre

Mon smartphone c'est ma vie
Je ne mange qu'en ne le quittant pas des yeux
Je ne dors qu'en le serrant contre moi

Si tu me demandes
Dans quel monde je vis
Alors laisse-moi te dire
Notre monde est ainsi

Un monde d'illusions

探索
Exploration
Exploration

探索

我進入岩洞
漆黑深淵世界

逆游冰冷急水
攀爬狹窄裂縫

我不要手錶
因為時間在倒流

不需指南針
因為我知道方向

我是來尋找
開創巨洞之手

我是來探索
生命的秘密

獻給探索中國貴州省綏陽縣十二背後雙河谷的法國探險家們，及開發景區的中國詩人和企業家梅爾。

Exploration

I enter the water cave
An endless world of darkness

I swim up chilling rapids
I climb between narrow cracks

I do not have a watch
As time is going back

I do not need a compass
As I know where to go

I am here to look for
The hand that crafted this giant work

I am here to explore
The mystery of life

A tribute to the French speleologists who explored the impressive Shuanghe caves (in Shierbeihou, Suiyang county, Guizhou province, China), and the Chinese poetess and entrepreneur, Mei Er, who developed them into an outstanding tourist destination.

Exploration

J'entre dans cette grotte souterraine
Un monde infiniment obscur

Je nage dans les rapides aux eaux glacées
Je grimpe entre d'étroites parois

Je n'ai pas de montre
Car je remonte le temps

Je n'ai pas besoin de boussole
Car je sais où aller

Je viens chercher
La main qui a créé cette œuvre de géant

Je viens explorer
Le mystère de la vie

Un hommage aux spéléologues français qui ont exploré les impressionnantes grottes de Shuanghe (localité de Shierbeihou, municipalité de Suiyang, province chinoise de Guizhou) et à la poétesse et femme d'affaires chinoise, Mei Er, qui les a développées en une remarquable destination touristique.

報喜
Good tidings
Bonne nouvelle

報喜

窗外小鳥
雀躍不已
百囀千聲

擡頭一望
滿枝綠芽
原來是

春天到了！

Good tidings

I hear birds
Dancing and singing
From outside my window

I take a look
Trees are all peppered with green sprouts
Yes, of course

Spring has come!

Bonne nouvelle

J'entends des oiseaux
Danser et chanter
Depuis ma fenêtre

Je jette un coup d'œil
Les arbres sont parés de jeunes pousses
Mais oui

C'est le printemps !

寫作
Writing
Ecrire

寫作

寫作是創造生命
為字句注入活力

有時自然流暢
有時苦苦挖掘
寫出之後
它們獨自成長

敘述故事
人們
人生
世界

多年後
再見到它們時
有的熟悉、有的古怪
有的喜歡、有的討厭

但它們都在呼喚我
渴望我的愛
因為它們就是我

我的生命

Writing

Writing is giving life
Giving life to words

Sometimes they just flow
Sometimes I must dig deep
But, all, I carefully lay down
And let them grow on their own

They go on to tell stories
About people
Life
And the world

When I see them again
Years later
Some look familiar, some look odd
Some I like, some I do not

But they all call for me
Crave for my love
Because they are all from me

They are my life

Ecrire

Ecrire c'est donner vie
Donner vie aux mots

Parfois ils coulent de source
Parfois je les cherche au plus profond de moi
Mais, tous, je les écris soigneusement
Puis les laisse grandir à leur guise

Ils vont alors conter des histoires
Sur les gens
La vie
Le monde

Puis quand je les revois
Des années plus tard
Certains sont familiers, d'autres étranges
J'aime les uns, les autres pas

Mais tous m'appellent
Me demandent mon amour
Car ils sont tous de moi

Ils sont ma vie

音樂
Music
Musique

音樂

我獨自坐著
靜靜聆聽
播放的音樂

一個個音符
敲碎我身心
將我靈魂
一縷縷帶走

我融入
永恆的旋律

慢慢
消失了

Music

I am sitting along
Quietly listening
To the music

Music notes
Are breaking me into pieces
And little by little
Taking my spirit away

I am melting
Into an everlasting melody
And slowly

Disappearing

Musique

Je suis assis seul
A écouter au calme
De la musique

Les notes
Me pénètrent
Petit à petit
Mon âme est emportée

Je me sens fondre
Dans une mélodie sans fin
Et tout doucement

Disparaître

詩歌
Poetry
La poésie

詩歌

當詩歌獨言自語時
會溫和平靜
當它對世界宣言時
會沸騰吶喊

詩歌可以瘋狂
發洩滿腔怒火
也可充滿智慧
探尋生命意義

但什麼樣的詩歌
才能深入你心？

Poetry

Poetry is sometimes a monologue
Gentle and calm
And sometimes a declaration
Passionate and resounding

It can be insane
To vent the fire in me
And can be wise
To search for the meaning of life

But what is the kind of poetry
That rips you apart
And touches your heart?

La poésie

La poésie est parfois un monologue
Douce et calme
Elle est parfois une proclamation
Passionnée et retentissante

Elle peut perdre la tête
Pour exprimer le feu en moi
Elle peut garder toute sa raison
Pour donner un sens à ma vie

Mais quelle est la poésie
Qui te transperce de part en part
Et qui touche ton cœur ?

天淚
Tears from Heaven
Les larmes du Ciel

天淚

從天坑出來
天梯一望無際
一步一步向上
好像要去觸摸天空

途經一縷山泉
潺潺而下
眾人紛紛
繞道而過

唯我
喜出望外
接受洗禮

因為這是
上天的淚水

Tears from Heaven

I emerge from this vast sinkhole
And look up the stairs
They seem endless
And leading to heaven

Mid way through the ascent
I come across a small waterfall
Raining onto the path
Everyone tries to sidestep

I am the only one
To immerse myself
Crying out of joy

Because they are
The tears from Heaven

Les larmes du Ciel

Je sors de l'immense gouffre
Et contemple cet escalier sans fin
Qui semble mener
Tout droit au ciel

En pleine ascension
Se déverse une petite chute
En fine pluie sur le chemin
Tout le monde s'en écarte

Je suis le seul
A m'y immerger
Criant de joie

Car ce sont
Les larmes du Ciel

時光
Time
Le temps

時光

打開相冊
一張張照片
模糊了
褪色了

看到自己
一身過時裝扮
天真可笑

家人和友人
永遠凝固在
過去裏

試著用回憶
替他們
添加綫條
補上色彩

然後關起相冊
把時光
好好封存起來

Time

I open up the album
And flip through the pictures
They are blurred
And have faded

In yesteryear's attire
I looked
So naïve

In the past
Family and friends
Are like frozen

Lines and colors
Spring out from my memories
To enhance each of them

I then fold up the album
For time
To be forever retained

Le temps

J'ouvre l'album
Des pages et des pages de photos
Floues
Ternies

Affublé d'habits démodés
J'avais l'air
Bien naïf

La famille et les amis
Dans le passé
Tous sont comme figés

Des lignes et des couleurs
Jaillissent de ma mémoire
Pour venir les compléter
Et les embellir

Je referme alors l'album
Pour que le temps
Soit à jamais préservé

等待
Waiting
Attendre

等待

你永遠是光彩奪目
我一直是黯淡無光
女孩們總是圍繞著你
男孩們從不看我一眼

你開始了亮麗人生
我繼續了謙卑命運
當你上了頭條新聞
我將它們蒐集成冊

多年後
再度相遇
我默默的站在一邊
你突然來到我面前

你跟我敘述你的人生
我說我全都知道
你問我們是否曾經見過
我說我一直都認識你

當你問我
這些年都在做什麼
我回答說

"等待"
"等待著你"

Waiting

You have always been the shining star
I always went unnoticed
Girls kept surrounding you
Boys never looked at me

When you moved onto your glamourous life
I followed my modest destiny
When you made the headlines
I pasted them into my album

But then after all these years
We all came to this reunion
And just as I quietly stood on my own
You suddenly stepped over to me

You told me about your life
I said I knew all about it
You asked if we have ever met
I said I have always known you

When you finally asked
"What have you been doing all this while?"
I simply said

"Waiting"
"Waiting for you"

Attendre

Tu étais celui qui brillait
Je n'étais pas remarquée
Les filles toujours t'entouraient
Les garçons jamais ne me regardaient

Quand tu t'es envolé vers ta gloire
Je suivais ma modeste destinée
Quand tu faisais les gros titres
Je les collais dans mon album

Puis après des années
Nous nous sommes tous retrouvés
J'étais seule dans mon coin
Quand tu es soudain venu à moi

Tu m'as raconté ta vie
Je disais je la connaissais par cœur
Tu m'as demandé si l'on s'est déjà vu
Je disais je t'ai toujours connu

Quand tu m'as enfin demandé
« Que faisais-tu toutes ces années ? »
J'ai alors simplement répondu

« Attendre »
« T'attendre »

那晚
That evening
Ce soir-là

那晚

畢業典禮後
大夥忙著歡慶
那晚
妳來接我

冷清的咖啡店
一下
被我們兩人
熱鬧起來

妳沒聽過
我說那麼多
我也沒看過
妳那麼開心

之後
我們各自回國
音信
慢慢稀疏

那晚
成為了
酸酸的回憶

That evening

It was just after graduation
Everybody was partying
You came to pick me up
That evening

It was a small café
Almost empty
But suddenly filled up
By the two of us

You have never heard me
Talk so much
I have never seen you
Being so happy

Thereafter
We left for our countries
And the letters we wrote
Became fewer and fewer

What remains now
From that evening
Is just
A bittersweet feeling

Ce soir-là

C'était juste après la remise des diplômes
Tout le monde faisait la fête
Tu étais venue me chercher
Ce soir-là

C'était un petit café presque vide
Mais nous l'avions empli
Tout à coup
A nous deux

Tu ne m'as jamais entendu
Parler autant
Je ne t'ai jamais vue
Être si heureuse

Puis chacun est parti de son côté
Les nouvelles se faisaient
De plus en plus rares

Si bien qu'il ne reste plus
De ce soir-là
Qu'un goût
Si doux-amer

告別
Farewell
Les adieux

告別

再看一眼
窗外熟悉景色
再走一遍
屋內每個房間

和鄰居告別的笑聲
還迴盪在客廳
每天忙碌的身影
還漂浮在牆上

東西都打包了
房子也空了
在此歲月
就像一場夢

含著淚水
輕輕關上
背後的門

滿懷期待
等著開啟
下一扇門

Farewell

I take another look
Outside the window
I take another walk
Around the house

The laughter from the farewell
Still resonates in the rooms
The shadows of our silhouettes
Still populate the walls

Everything has been packed
The house looks so empty
Time spent here
Was just a dream

I hold back my tears
To close up
The doors behind me

I cannot wait
To open up
Those in front of me

Les adieux

Je jette encore un coup d'œil
Depuis la fenêtre
Je fais encore quelques pas
Dans la maison

La fête d'adieux
Résonne encore dans les chambres
Les ombres de nos silhouettes
Sont encore sur les murs

Tout a été mis dans les cartons
La maison semble si vide
Tout le temps passé ici
N'était qu'un rêve

Je retiens mes larmes
Pour refermer les portes
Derrière moi

Je piétine d'impatience
Pour ouvrir celles
Devant moi

回老家
Home town
Retour

回老家

數十年後重返老家
一片滄海桑田

幾經詢問
才找到的童年舊址
已不見過去足跡

思念已久
終於爬上的山丘
不再迴盪故人笑聲

但是老人
還是興奮無比
滔滔不絕
敘述往事

因為他

看到了過去的足跡
聽到了故人的笑聲

Home town

The home town
After so many years
Does not look the same anymore

The old house
So hard to find
Does no more have his footprints

The small hill
So many times dreamed of
Does no longer echo his laughter

But the old man is still overwhelmed
As the days gone
Keep coming back to him

For he still can

See the footprints
And hear the laughter

Le retour

Le village natal
Après tant d'années
N'est plus ce qu'il était

La vieille maison
Si difficile à trouver
N'a plus trace de ses pas

La petite colline
Tant de fois revue dans ses rêves
Ne résonne plus de ses rires

Mais le vieil homme est plus que comblé
Et tout le passé
Lui revient

Car, lui, il peut encore

Voir la trace de ses pas
Entendre l'écho de ses rires

消失
Disappearing
Disparaître

消失

墓碑林立

字跡不清了
石雕風化了
零散枯凋花束
被遺忘著

那些歡樂及悲傷
期待與遺憾
愛情和怨恨

都到哪去了？

Disappearing

Tombstones are standing there

Writings cannot be read anymore
Sculptures are defaced by the years
Only withering flowers have been forgotten here

All the joy and pain
The longing and regrets
Love and hatred

Where have they gone?

Disparaître

Les pierres tombales sont là, debout

On ne peut plus lire les inscriptions
Les sculptures sont défigurées par le temps
Seules des fleurs fanées y ont été oubliées

Toutes ces joies et ces peines
Les désirs et les regrets
L'amour et la haine

Où sont-ils partis ?

親愛的聖母院
Dear Notre-Dame
Chère Notre-Dame
Liebe Notre-Dame

親愛的聖母院

疲倦悲傷時
妳雄偉殿堂
掃去我胸中陰霾

迷茫失落時
妳指出道路起點
讓我重新出發

如今巨大火焰
吞噬妳身軀
濃濃黑煙
帶走妳靈魂

親愛的聖母院

我為妳哭泣
惋惜
和憤怒

但妳即使
化為灰燼
也將在我心中

永遠矗立！

聖母院看著我在巴黎長大。2019 年 4 月 15 日這場大火彷彿也燒盡了我少年回憶。

Dear Notre-Dame

Tired and full of sorrow
I entered your nave
And you cast
My troubles away

Lost and desperate
I came to you
And you showed me
Where to start again

Now flames
Are engulfing your body
Smokes
Are taking away your soul

Dear Notre-Dame

I am weeping for you
Crying my pain
And shouting my anger

But even when
They crush you into ashes
You will still be in my heart

Forever towering!

The Notre-Dame cathedral saw me grow up in Paris. The immense fire on 15 April 2019 seems to have engulfed the memories of my youth.

Chère Notre-Dame

Fatigué et plein de chagrin
Je suis entré sous ta nef
Et tu m'as donné du réconfort

Perdu et désespéré
J'ai pris un nouveau départ
Car de toi partent tous les chemins

Maintenant les flammes
Consument ton corps
La fumée
Emporte ton âme

Chère Notre-Dame

Je pleure pour toi
Crie ma douleur
Et hurle ma colère

Même s'ils te réduisent en cendres
Tu resteras dans mon cœur

Pour toujours
Entière et debout !

Notre-Dame m'a vu grandir à Paris. L'immense incendie qui a ravagé la cathédrale le 15 Avril 2019 semble avoir aussi emporté avec lui mes souvenirs de jeunesse.

Liebe Notre-Dame

Müde und voller Trauer
Betrat ich dein Hauptschiff
Damit du meine Sorgen wegnahmst

Verloren und hoffnungslos
Konnte ich wieder anfangen
Weil du der Startpunkt aller Wege bist

Gewaltige Flammen
Vernichten deinen Körper
Dicker Rauch
Erobert deine Seele

Liebe Notre-Dame

Ich weine um dich
Ich schreie vor Schmerz
Und heule meinen Ärger heraus

Sogar wenn du zu Asche geworden bist
Wirst du in meinem Herzen

Für immer emporragen!

*Die Notre-Dame Kathedrale sah mich in Paris aufzuwachsen. Als der Brand am 15. April 2019
anfing, hatte ich das Gefühl, als ob meine Jugenderinnerungen verbrannt wurden.*

你還記得嗎？
Do you still remember?
Est-ce que tu te souviens ?

你還記得嗎？

一個下雨的深夜
我們剛下飛機
街道寂靜無人
我緊靠著車窗
期待你的出現

搬家之前
我翻遍書籍
聆聽大家敘說
想像你的容貌

遠遠朦朧之中
突然金光閃閃
你矗立眼前
讓我心跳萬分

親愛的
埃菲爾鐵塔

你還記得嗎？

Do you still remember?

It was a rainy late night
We just landed
The streets were empty
In the car against the window
I was looking for you

Before we moved
I flipped through all the books
I listened to what everyone said
And tried to imagine
How you would look like

Then, amidst the fog, from afar
You suddenly appeared
Colossal and gleaming
My heart stopped beating

Dear Eiffel Tower
Do you still remember?

Est-ce que tu te souviens ?

C'était par une nuit de pluie
Nous venions d'atterrir
Les rues étaient désertes
Contre la fenêtre dans la voiture
Je guettais ton apparition

Avant de déménager
J'ai feuilleté tous les livres
J'écoutais tout ce que l'on racontait
Pour essayer de m'imaginer
A quoi tu ressemblais

Puis, dans le brouillard, au loin
Tu es soudain apparue
Gigantesque
Brillant de mille feux
Mon cœur s'est arrêté

Chère Tour Eiffel
Est-ce que tu te souviens ?

冬天
Winter
Hiver

冬天

我愛冬天

人們躲在屋內
我獨自在外

荒蕪大地
寂靜空氣

萬物獲得喘息
一片潔白世界

無論好與壞
都到達盡頭
生命歸零新生

一切將會
從頭開始

Winter

Winter I love you

People are in their houses
I am the only one outside

The land is barren
The air silent

Life is getting a pause
The world has become so pure and white

We are close to the end
The end to all good or bad
For life will soon get another chance

A chance
To start all over again

Hiver

Hiver, je t'aime

Les gens sont chez eux
Moi seul, je suis dehors

Le paysage est dénudé
Tout est si calme

La vie fait une pause
Le monde devient d'une pure blancheur

On s'approche de la fin
La fin pour tout
Et la vie va avoir une nouvelle chance

Une chance bientôt
Pour tout recommencer

Hikikomori
Hikikomori
Hikikomori

Hikikomori

不記得
有多久沒踏出大門
不知道
外面世界變得如何

有時想透過小窗
偷看下周圍
但又嚇得拉上窗簾
逃回電玩世界

那裏
好人壞人
一清二楚

那裏
失敗輸了
清零從來

所以
我走了

這次
不再回來

日本現有一百多萬人，多年不願踏出門外一步，他們被稱爲 Hikikomori （蟄居族）。

Hikikomori

I do not remember
How long I have not stepped out
I do not know
How the world outside looks like

Sometimes I feel like taking a peek
But I quickly draw up the curtains
And get back to my screen
Into the world of games

There
The good guys and the bad guys
I can clearly see

There
If I lose
I just reset and restart

That is why
I am leaving now

And this time
I will not be coming back

There are in Japan over 1 million people who have never stepped out of their homes for many years. They are known as the "Hikikomori".

Hikikomori

Je ne me souviens plus
Quand pour la dernière fois
J'ai mis les pieds dehors

Je ne sais plus
A quoi ressemble
Le monde autour de moi

Parfois j'ai envie de jeter un coup d'œil
Mais je referme vite les rideaux
Pour me réfugier dans mon écran
Et retourner dans le monde des jeux

Là
Les bons et les méchants
Je les connais bien

Là
Si je perds
J'appuie sur reset et je recommence

C'est décidé
Je m'en vais

Et cette fois-ci
C'est pour ne plus revenir

Il y a au Japon plus d'un million de personnes qui ne sont jamais sorties de chez eux depuis des années. On les appelle des "Hikikomori".

鳳蝶
The swallowtails
Les papillons machaons
Die Schwalbenschwänze

鳳蝶

今天
鳳蝶們又回來了

當時
妳興奮無比
手裏呵護著
剛破繭而出的
弱小生命

妳費盡最後精力
親自將它們
——送往
這花花世界

妳現已走了
但它們回來

回來看你了

紀念我們的瑞士朋友 Gertrud Engler 女士

The swallowtails

Today
The swallowtails are back

You were so excited
When you carefully held in your hands
Those little lives
That just came out from their cocoons

You spent your last hours
Sending them off
Each one of them
Into this colorful world

You are now gone
But they are back

Back looking for you

In memory of our Swiss friend Gertrud Engler

Les papillons machaons

Aujourd'hui
Les papillons machaons sont de retour

Tu étais si heureuse
Quand tu les tenais dans tes mains
Ces petites vies
Qui venaient de sortir de leurs cocons

Tu as passé tes dernières heures
A les aider à s'envoler
L'un après l'autre
Vers ce monde plein de couleurs

Tu es maintenant partie
Mais ils sont revenus

Revenus pour toi

En mémoire de notre amie suisse Gertrud Engler

Die Schwalbenschwänze

Du warst so erfreut
Und hieltst in Händen
Die schwachen Leben
Die soeben aus ihren Hüllen kamen

Obwohl du schon sehr erkrankt warst
Wolltest du dennoch die kleinen Schwalbenschwänze
Langsam in die farbige Welt einführen

Du bist jetzt gegangen
Aber wenn die Schwalbenschwänze zurückfliegen
Wissen wir sicher
Dass sie

Für dich gekommen sind

In Erinnerung an unsere Schweizer Freundin Gertrud Engler

放手
Letting go
Passer la main

放手

無數的歡樂與痛苦
激情和仇恨
勝利與失敗

朋友，敵人
支持，誹謗
懷疑，堅信

到最後
一切變成回憶
全部都會過去

我將剩下空白
都留給你
讓你添加

你的
歡樂與痛苦

Letting go

So much happiness and sorrow
Passion and hatred
Winning and losing

So many foes and friends
Supporters or detractors
Many skeptical, few convinced

At the end
They are just memories
Just vanities

Now I leave behind all the blanks
So that you can in turn
Fill in with your share
Of happiness and sorrow

Passer la main

Tant de joies et de peines
De passion et de haine
Victoires et défaites

Tant d'ennemis et d'amis
De supporters et de détracteurs
Beaucoup de sceptiques, peu de convaincus

A la fin
Tout n'est que souvenirs
Et vanités

Maintenant je te laisse tous ces blancs
Pour que tu puisses les compléter
Avec tes joies
Et tes peines

回憶
Memories
Souvenirs

回憶

我要找一塊肥沃的土壤
把回憶一粒一粒的種下

用痛苦和幸福
悲傷和歡樂
灌溉它們
呵護它們

讓它們成為
一朵一朵
最精彩的故事

Memories

I want to find a fertile piece of land
To plant the seeds of my memories

With suffering and happiness
With laughter and tears
I will take care of them
And nurture them

So that they can blossom
Into the most beautiful of stories

Souvenirs

Je veux trouver un terrain fertile
Pour y planter mes souvenirs

Je vais en prendre soin
Les nourrir
Avec ma souffrance et ma joie
Mes rires et mes larmes

Pour qu'ils fleurissent
Et deviennent

Les plus belles des histoires

作者簡介
Short biography of the author
Courte biographie de l'auteur

青峰簡介

青峰是一位國際作家及詩人，1962 年出生於臺灣。由於父親工作的原因，他從小隨著家人先後在衣索比亞，臺灣和法國長大。

他畢業於法國頂尖工程師學院之一的 Ecole Centrale de Lyon（法國里昂中央理工學院），隨後進入美國康奈爾大學，先後獲得這兩所著名大學的電腦工程碩士學位。

自康奈爾大學畢業後，青峰進入一家國際大型跨國石油公司工作，陸續擔任該公司法國，加勒比海和亞洲資深經理職務。青峰於 2008 年搬到瑞士居住，擔任瑞士一家跨國工業集團的資深管理。

青峰自小即展現出寫作天賦。其作品無論是在臺灣還是在法國的學校，均多次得到高度讚揚。他初中時創作的一首詩 "La Liberté（自由）"，曾獲得法國巴黎市政府頒發的最佳少年詩篇大獎。

他榮獲：
- 2021 年紐西蘭《三公爵杯》世界華文微型小說大賽獎，
- 2020 年臺灣中國文藝協會文藝獎章，
- 2020 年世界華文第七屆法制微型小說《光輝獎》，
- 臺灣《2020 年新北市第十屆文學獎》，
- 2018 年瑞士優納市立圖書館德語寫作獎，
- 2017—2018 年世界華文微型小說雙年獎。

他是美國世界藝術文化學院榮譽文學博士，歐洲華文作家協會副會長。

青峰目前以中、英、法、德四種語言寫作。在他多元化的背景下，將其心靈深處的情感以最簡單，樸素，卻能打動人心的方式表達出來。

繼 "瞬間"，"感動" 和 "觀" 之後，"夢幻" 是青峰的第四本詩集。

Albert Young's short biography

Albert Young is an international writer and poet, born in Taiwan in 1962. He grew up successively in Ethiopia, Taiwan and then France, where his father took the family on his different postings.

After graduating from Ecole Centrale de Lyon, a leading French engineering school, he further completed his studies with a Master's degree in Computer Sciences from the Cornell University in the USA. He started his professional career with a major international oil company and held increasingly senior managerial positions in France, in the Caribbean, and then extensively in Asia. He moved to Switzerland in 2008 where he became a senior executive of a major Swiss industrial corporation.

Albert developed his writing skills at an early age. His works were regularly praised at school in Taiwan and in France. He won a special prize from the city of Paris for a piece of poetry he wrote in junior high school ("La Liberté").

He was in particular a winner of the:
- 2021 New Zealand World Contest of mini novels,
- 2020 China World Contest of mini novels,
- 2020 New Taipei City Literary Contest,
- 2020 Arts and Literature Award from the Chinese Artists and Writers Association from Taiwan,
- 2017-2018 China World Contest of mini novels.

He holds an Honorary Doctorate degree in Literature from the World Academy of Arts and Culture and is a vice-President of the Chinese Writers Association in Europe.

Albert writes in English, French, Chinese and German. He draws from his multicultural roots and aims at developing a minimalist, purified, easily accessible and yet impactful style, to convey the deepest inner feelings and emotions.

After "Moments", "Emotions" and "Contemplation", "Illusions" is his fourth collection of poetry.

He is married to a Chinese painter. Together with his wife, they enjoy travelling and engaging in social work.

Courte biographie d'Albert Young

Albert Young est un écrivain et poète international, né à Taiwan en 1962. Il a grandi successivement en Ethiopie, à Taiwan puis en France, où son père a été en poste.

Diplômé ingénieur de l'Ecole Centrale de Lyon, il a ensuite poursuivi ses études à l'université Cornell aux Etats-Unis où il a obtenu un Master en informatique. Il a commencé sa carrière avec une grande société pétrolière multinationale, et a évolué vers des postes de responsabilités croissantes, en France, dans les Caraïbes, puis longuement en Asie. Il est installé en Suisse depuis 2008 où il est devenu cadre dirigeant dans une grande société industrielle.

Albert a révélé ses talents littéraires dès son plus jeune âge. Ses œuvres ont souvent été récompensées dans le cadre de ses études à Taiwan comme en France. Il a obtenu un prix spécial de la ville de Paris pour son poème, « La Liberté », qu'il avait écrit au collège.

Il a été lauréat :
- en Nouvelle Zélande, du Concours Mondial 2021 des Mini-nouvelles,
- en Chine, du Concours Mondial 2020 des Mini-nouvelles,
- à Taiwan, du Concours Littéraire 2020 de la Ville de New Taipei,
- à Taiwan, du Prix 2020 des Arts et de la Littérature de l'Association des Artistes et Ecrivains de Taiwan,
- en Chine, du Concours Mondial 2017-2018 des Mini-nouvelles.

Il a reçu un Doctorat Honoris Causa en Littérature de l'Académie Mondiale des Arts et de la Culture et est vice-Président de l'Association des Ecrivains Chinois en Europe.

Albert écrit aujourd'hui en français, anglais, chinois et allemand. Il s'inspire de ses origines multiculturelles et cherche à développer un style minimaliste et pur, à la fois facilement accessible et fortement marquant, pour exprimer les sentiments et les émotions les plus profonds.

Apres « Moments », « Emotions » et « Contemplation », « Illusions » est son quatrième recueil de poésie.

Il est marié à une artiste peintre chinoise. Avec son épouse, ils voyagent et font du bénévolat.

國家圖書館出版品預行編目資料

夢幻：青峰詩選 / 青峰 Albert Young 著.
-- 台一版. --臺北市：文史哲出版社,
民 111.07
　　頁；　公分（文史哲詩叢；158）
中英法對照
ISBN 978-986-314-612-4（平裝）

863.51　　　　　　　　　　111011104

夢　幻 Illusions　文史哲詩叢 158

著　　者：青　　　　　　　　峰
出 版 者：文　史　哲　出　版　社
　　　　　http://www.lapen.com.tw
　　　　　e-mail:lapen@ms74.hinet.net
登記證字號：行政院新聞局版臺業字五三三七號
發 行 人：彭　　　正　　　雄
發 行 所：文　史　哲　出　版　社
印 刷 者：文　史　哲　出　版　社
　　　　　臺北市羅斯福路一段七十二巷四號
　　　　　郵政劃撥帳號：一六一八○一七五
　　　　　電話886-2-23511028・傳眞886-2-23965656
定　　價：NT 280 元　Euros 18 元
I S B N 978-986-314-612-4
出版日期：二〇二二年(民 111 年)七月台一版